探索健康、宇宙和灵魂世界

本书分健康、宇宙和灵魂世界三部分,为作者多年之心得。

张捷帆 著

美商EHGBooks微出版公司
www.EHGBooks.com

EHG Books 公司出版
Amazon.com 總經銷
2016 年版權美國登記
未經授權不許翻印全文或部分
及翻譯為其他語言或文字
2016 年 EHGBooks 第一版

Copyright © 2016 by Chit-Fan Cheung
Manufactured in United States
Permission required for reproduction,
or translation in whole or part.
Contact : info@EHGBooks.com

ISBN-13：978-1-62503-283-6

图书简介

图书简介

书本内容：本书分健康、宇宙和灵魂世界三部分，为作者多年之心得。

健康篇

作者在内地山区的农村长大，在一次偶然的机会中，发觉生食天然食物的野生动物比用精制饲料饲养的动物，在生命力和抗病力方面要强得多，根据这些自然现象，探讨了人类现代饮食与健康的问题。

宇宙篇

作者在一次看美国国家地理频道有关宇宙大爆炸论的一个节目时，觉得宇宙大爆炸论有很多矛盾的地方，并提出了自己的一些看法。

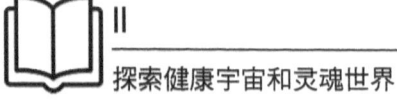

探索健康宇宙和灵魂世界

灵魂世界篇

作者在一次单独行山时,偶然看到了天空中有一个不明的、弯弯的发光体,并由此对世界事物产生了新的看法,甚至认为在人类可见的物质外,还存在隐形的灵魂世界。

本书内容纯为作者的观点,望读者对健康、宇宙和我们的灵魂世界有新的启发。

目录

图书简介 I

目录 III

第一篇／我的健康观 1

第二篇／我的宇宙观 27

第三篇／探索看不见的灵魂世界 55

IV

探索健康宇宙和灵魂世界

第一篇／我的健康观

　　随着社会的进步、生活水准的不断提高，人们对饮食的要求也越来越高，但是如何烹调和食用食物、食用什么样的食物，烹调前和烹调后食物营养的质量到底发生了什么变化？是否影响我们的健康？如何烹调和食用食物才会变得更健康，这恐怕还是一个问题。

　　几十年前，我发觉食用天然生食物的野生动物比用精制饲料饲养的动物在生命力和抗病力方面要强许多，而且，从它们的内脏也可以看出，食用天然生食物的野生动物比用精制饲料饲养的动物要健康很多。根据这些

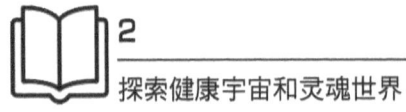

探索健康宇宙和灵魂世界

自然现象，本人和家人多年来在饮食方面做了一些调整，例如尽可能多吃新鲜蔬果和天然的自然性食物，减少或者尽量避免食用各种经煎、炸、炒、烧烤和加工精制的副食品、饮料等。现在我觉得本人以及家人身体各方面都很好，而且很少生病。因此，在这里，我想同大家分享现代饮食与健康的一些看法和体会。虽然我的观点很另类，未必能让大家接受，但如果看后能得到一些启发，或者更能正确地去认识现代饮食与健康方面的问题，达到增强体质、减少疾病，是我要写这篇文章的主要目的。

古代，人类在还没有发现火的时候，所有动物包括古人类都是生食天然的食物的，即使是现在，除了人类和饲养动物，所有野生动物都仍然是生食天然性食物的。大家都知道，野生动物和古人类一样在衣、食、住、行各方面都没有任何保障，它们的生活既没有医生和药物，也没有像现代人一样有智慧去认识和选择营养的食物；它们不仅要面对食物不足、弱肉强食，而且还要在风吹雨打、饥寒交迫的恶劣环境中度过严寒的冬天；无论是生活在深海的鱼类还是在深山大林中的各种野生动物，种种迹象显示，野生动物不但抗病力和生命力比用精制饲料饲养的动物强，而且也没有像现代人一样有那么多的癌症、高血压、糖尿病等多种多样的现代性疾病。

第一篇／我的健康观

自古以来，人类为了获取更多食物，由古人类像野生动物那样猎取食物，衍变为现今社会以现代化科技的方法，如施用大量的化学肥料、化学农药、生长素等以提高农作物的产量；大型现代化的养殖场也大量地使用精制饲料、抗生素、激素等。为了追求产量和达到产品规格要求增加收入，很多人千方百计，内地甚至有人用抗生素泡豆芽，工业污水种植疏菜，牛奶加入人造蛋白、三聚氰胺，苏丹红养禽畜，避孕药喂甲鱼，甲醇充白酒，大量的副食品还使用了色素、调味素、防腐剂等，总之，为了追求产量和符合产品规格要求，以达到增加收入的目的，品质已经不重要了，因为品质再好也不是自己吃的。特别是现代人们普遍喜爱经油炸和烧烤等高温烹调处理后所谓美味香口的食物，很多食店老板用食油煎、炸食物后，为了节约成本，重复使用，炸完又炸，成为所谓的"万年油"。然而不仅如此，而且由于哪些"万年油"炒菜更可口，又可节省油料，很多食店甚至用来作炒菜给食客享用，利益埋没良心，试想人们长期食用这样经反复多次高温的"万年油"会对身体带来什么呢？

我试过，买了块猪肉回来，猪肉里有肌瘤；买条饲料鱼回来内脏也有很异常；特别是猪的内脏看上去与过去的在颜色上已完全不同了，很不健康；还有那些饲料鸡、饲料鸭等，它们的内脏，它们的肉质与天然野生的在健康和营养的质量等方面差距越来越大了，这样的食物不仅越来越难以提起食欲，而且食物营养的质量对我们健康的影响更为重要。

二十多年来，在肉菜市场里我还留意到，凡是野生的深海鱼或野生动物，它们的内脏和肉质都是十分健康的，而且味道也很好；但用精制饲料饲养的禽畜，它们的内脏看上去往往很不健康，肉质和味道等都比自然野生和山区农村自然放养的禽畜要差。从野生的深海鱼或野生动物它们的内脏和肉质十分健康来看，说明了食用天然食物，不仅对动物，甚至对人类的健康都是十分重要的。也许，新鲜天然生食物的营养才是最全面，生物活性最强，对动物甚至对人类的健康更为有利的。然而，这不仅在人类和动物方面，在农作物、甚至中草药等也是如此。

如果你有过务农的经验，就一定有这样的体会：施用化学肥料的农作物，虽然容易生长，但往往也很容易生病。然而，施用天然有机肥料的农作物，不仅容易生长，而且生长得很强壮，也不那么容易生病。

可见，用精制饲料饲养的禽畜以及用化学肥料种植的农作物虽然容易长大，但往往也很容易生病，而且生命力也比用天然自然性饲料放养的禽畜和天然有机肥料种植的农作物差。天然有机肥料种植的农作物和自然放养的禽畜，其营养价值也比用精制饲料饲养的禽畜以及

用化学肥料种植的农作物要高。所以,在大自然中自然生长的各种天然植物和生食新鲜天然食物的野生动物,海洋中的鱼类以及各种海洋生物,它们的抗病力和生命力都是很强的。

事实上,施用大量的化学肥料、化学农药、生长素等种植的农作物;现代化养殖场大量地使用精制饲料、抗生素、激素等已经对现代的食物链造成了污染,现代人长期食用这样的食物,不仅对肾脏,而且相信对肝脏等造成了影响。

然而,天然的自然性食物,特别是天然野生的中草药由于在高山丛林或高原矿物土壤里吸收到更多天然养份(如矿物质等),其营养价值就更高,例如,市面上野生人参比人工种植的其营养价要高,而且贵很多。中药所以能够治病和有保健作用,是因为在天然的生长环境里组合出对人体健康和治病的天然成份。

所以,西方医学不认同中药治病,我认为是没有道理的。西药大部份是人工制造的化学药品,中药是天然的自然性草药。前者是化学药品,后者是天然的自然性草药,共通点就是都含有治疗疾病的元素。西医的化学药品虽然容易见效,但副作用也就更大。天然的自然性草药由于含有的营份是均衡性的,不是单一性的,因此,副作用比西医的化学药品小得多，然而天然的自然性草药养份不仅有治疗疾病的作用，而且对身体还有保健作用。

虽然中草药有治疗疾病的作用，但中医师能不能确诊，能不能对症下药又是另一回事了。因为即使是同一种疾病，但由于患者得病的病因不同，即使某一服药对某一患者有治疗作用，但对服用同样的药的另一患者，因病因不同而未必有效。

举个例子，很多年前有新闻报导：有一位年轻的患者得了血癌，四处求医无效。后来，在某国有位龙医师通过中草药治好了该位患者。于是，有人炒作那位龙医师，说那位龙医师是什么神医。事实恐怕未必如此，那位龙医师之所以通过中草药治好了该位患者，很可能是他提供的中草药含有该年轻患者因缺乏某种养分而得病的元素。当那位年轻患者服用了他提供的中草药后，养分得到了补充从而治好了疾病。然而，其它同是患了血癌的患者，那位龙医师就未必能治好了，因为其它同是患了血癌的患者其病因与那位年轻患者未必相同，服用同样的中草药就未必有效了。

所以，中医治病是有很多不确定性的，正因为这样，我也不相信中医会有什么祖传秘方。我认为，中医中药应该用生物学、营养学、化学甚至物理学等角度科学地看待，而不是固执地去追求什么祖传秘方。只有将中医中药科学化，中医中药才有可能为人类作出更大的贡献。如果还固执地迷信一千几百年前的那套中医中药理论，相信是不会有前途的。

虽然中医治病有很多不确定性，但平时多喝些普通的中草药茶却起到保健和防病的作用。例如，一星期或两星期煲一次五花茶或七星茶。在市面上有包装的，中医师通常要求一次煲一包，我的个人经验一包可分五、六次煲，而且是一大煲的水，不要太浓，淡淡地以茶代水。目的是希望从中草药的茶水中为人体摄取一些有益的天然矿物和其它养分，以达到保健和防病的作用。煲的时间不宜太久，烧滚后六、七分钟即可，因为煲的时间太久，好的养分也是最容易受热被破坏和挥发的。当然，有时间的还可以翻煲一次。

每一至两星期，买些优质的海带回来，加些海鲜煲汤饮用，煲的时间也不宜太久，烧滚后一、二分钟就可以，甚至烧滚后即可，因为煲的时间太久，好的养分同样也是最容易受热被破坏和挥发的。

我认识的一位朋友，由于过去他常喝酒，而且油炸的食物吃了太多，所以高血压、糖尿病、痔疮等他都有，

探索健康宇宙和灵魂世界

特别是痣疮让他很痛苦，西医和中医他都看了，但没有什么郊果，有次他问我有什么办法，我说可试试买些优质的海带回来煲水喝，而且煲的时间烧滚后即可，如果认为难喝待海带水凉冻后，可适当加些蜂蜜或蔗糖水，不要再吃哪些经煎、炸、炒的食物，特别是油炸的，多些在家煮些菜，蒸些鱼，自己做饭，尽量减少外出用膳。他照做了，第二天他见到我，说效果很好，痣疮流血和头痛没有了，甚至随即到超市买了十多包海带回来，我说为什么一下子就买这么多？他说生怕没得卖了，到现在他仍坚持每隔二、三天都喝海带水，看起来脸色和健康方面比以前要好得多了。

事实上，海带不仅可以抗辐射，而且还有防治甲状腺肿、降血压、降脂、抑制肿瘤、提高免疫力、降血糖、利尿、消肿、预防心脑血管病等，甚至还有抗衰老的作用，只是人们在烹调和制作过程中煮的时间太长，由于高温受热时间太长，致使海带对人体健康最好的养分受热破坏和挥发了，所以效果不哪么好。

在中国福建罗源沿海一带盛产大量优质海带，而且价廉物美。因此我想，饮料公司或医药公司是否可以利用这些优质的海带资源研发保健饮品、甚至医药品用以治疗现代性疾病呢？正如从青蒿哪里研发青蒿素一样，如果研发海带，相信海带对人类健康的贡献比青蒿更

大。然而，目前人们食用的海带由于在烹调和制作过程中因煮的时间和高温受热时间太长，致使好的养分受热破坏和挥发，正如青蒿受热一百度后，青蒿素几乎破坏和挥发，没有治疗疾病效果一样。因此，在研发海带方面，为了让优质的海带能为人类的健康和治疗疾病发挥更好的作用。对此，我有以下的想法：

1、制作海带保健饮品：将干海带（外国朋友可到唐人市场购买）用水清洗去除沙粒和杂质，剪粹放入水煲，加进适量的水，烧滚后即可，待海带水凉冻后，可适当加些蜂蜜或蔗糖水，搅拌后，即可饮用。饮料公司也可利用此法开发海带蜜糖水作为保健饮品，因蜂蜜成本太高，但有防腐保质作用，可在海带蔗糖水中加入适量蜂蜜（常喝有保健甚至有助疗病）。

2、研发海带蜜：在养植海带地区，将打捞上来的新鲜海带用水清洗去除沙粒和杂质，再用乙醇浸泡新鲜海带（目的在于杀菌消毒），适当时间之后，捞起再次放入凉开水中清洗多次（目的去除乙醇），将用凉开水中清洗后的新鲜海带捞起剪碎，放入榨汁机榨汁，再将新鲜海带汁加入适量的蜂蜜，因蜂蜜有防腐保质作用可以保存备用，制成海带蜜，海带蜜需用凉开水充服（有待研发，研发设想用于治病和保健）。

3、研发海带素：将干海带去除沙粒和杂质、剪碎，用提取青蒿素的方法，如用乙醚作为萃取液，低温提取海带素，用提取青蒿素的方法低温提取的海带素，相信对很多现代性疾病更能起到更好的治疗作用，而且因海带素是天然植物提取物，对人体的副作用相信比化学药品要少得多（有待研发，研发设想用于治病）。

以上是本人的个人想法，在这里分享是希望有识之士从中得到启发研发海带保健和医药产品，造福人类。在这里我之所以哪么特别强调海带的好处，是因为多年来我和家人都觉得没有其它食物可以替代它的保健功效和食疗作用，详情这里不作尽述了。

也许有人认为，得了甲亢的人不应食用海带，我是不同意的，因 得了甲亢的人不是因吃海带造成的，而是由于人体机能出现问题造成的错觉。正如得了糖尿病的人就不应该吃含多糖的食物了吗？此外，五花茶、七星茶也是我们比较喜欢的保健茶，然而海带还可以配搭肉类滚汤饮用（滚汤时间较短为好）。汽水、酒等非天然性饮料可免则免，因为吸收太多的化学剂、防腐剂、色素等相信对身体也不太好。

喝茶方面，为了增强养份的互补性，我们选择新疆高原经干晒的罗布泊茶。此外绿茶经加工处理的过程比

第一篇／我的健康观

较其它的少，天然养分也比其它的保存得更好，普洱经加工发酵，少喝为妙。

蒸馏水是纯水，天然的自然水含有多种多样的矿物和其它养分。常喝蒸馏水不仅没有为人体带来各种矿物质和其它有益的养分，相反，还因为常喝蒸馏水而消耗及带走人体本来就十分缺少的有益养分。如果将人体比作一瓶有营养的水，由于蒸馏水是纯水，没有其它养分，长期饮用的话，人体的那瓶有营养的水就会被稀释。可见，蒸馏水虽然是一种比较纯净的水，但不是一种有利人体健康的水，甚至还远不如我们日常食用的自来水。天然的自然水虽然更有利健康，可惜在现代化的大都市中很难喝到了。然而，我们现在的自来水不仅受上游工业、农业的污染，而且还加入了氯等化学处理。

远足行山时常见到食水库里有清澈的自然水，我会毫不犹豫地冲上前去喝个胀饱。也许有人会认为这样不卫生，会受细菌、甚至病毒感染。在这里，这样说不是鼓励大家像我一样去喝自然水，我只是想通过这个例子说明，细菌、甚至病毒其实都不可怕。因为，无论你用尽千方百计，细菌、病毒都是无处不在的。你的衣服里有；你钱包里的钱有；甚至你工作室里空调喷出的空气也有。人只有不断通过接触细菌、病毒，才会产生更强的免疫力，正如你不下水又怎么能学会游泳一样。

其实，在山区的农村，人们生喝天然的自然水是很普遍的，许多动物甚至饮用更「不干净」的粪水呢！山区的农村人，也许正是他们的饮食比较天然和自然性。尽管他们的经济条件不如我们好，也不方便购买食物，所以没有我们食用那么多种多样的新鲜生果，但他们患高血压、糖尿病、心脏病等现代化疾病都比我们大都市人少。

也许有人认为，天然和自然性食物由于没有经过加工精制，因此，不利人体消化和吸收，甚至造成肠胃病。事实是否真的如此呢？不是的，相反那些喜欢食用经加工精制食物少吃天然和自然性食物的人，往往是最容得肠胃病的人。天然的自然性食物如番薯、芋头等杂粮，由于没有经加工或精制，因此，不仅能为人体提供多种多样的微量元素，而且还为人体提供现代飲食本来已十分缺少的纤维素，有助解决便秘和预防肠胃病、肠胃癌的发生。所以，有人认为如果得了肠胃病，就应该吃些经加工或精制容易消化和吸收的食物，是不对的。

举个例子，牛是吃草的动物。即使是纤维极高、极难消化的野草，牛的肠胃一样能将其分解消化和吸收。假如做一个这样的实验，牛出生后不让其食野草，改让其食用较容易消化和吸收，经加工或精制的奶粉、米粉或速食面之类的食物。当牛长大后，这头牛还会像其它

野牛一样,即使是纤维极高、极难消化的野草,也能将其分解消化和吸收吗?显然是不行了,这也说明动物和人体功能一样是随着环境的改变而改变,而且这些功能是在逆境中不断磨炼出来的。正如运动员不去训练就很难取得好成绩一样。得了肠胃病,就应该吃些经加工或精制容易消化和吸收的食物,这是不进取、消极的做法。俗话说,贪心不足蛇吞象,蛇能吞食动物并能将其分解消化和吸收,是磨炼出来的,不是用消极的做法逃避出来的。

天然的自然性食物如番薯、芋头、马铃薯等杂粮,由于没有经加工或精制,因此不仅能为人体提供多种多样的微量元素,而且还为人体提供现代饮食本来已十分缺少的纤维素,从而有助解决便秘和预防肠胃病、肠胃癌的发生。天然的自然性食物如番薯、芋头等杂粮由于不需要加入调味料、食盐等,因此也有助缓解现代人们的高盐饮食,更有利健康。

肉类方面,多吃些海鱼。无论大或小,贵与平,只要是海鱼就行。因为海鱼在大海中成长,因此它们吃到的都是天然的自然性食物。所以,海鱼的营养也较为丰富,而且肉质也比较鲜美。此外,羊肉、牛肉由于都食草动物,比较少用精制饲料、生长素等饲养。因此,羊肉、牛肉比饲料猪、饲料鸡、饲料鸭更好。试问:用精制饲料、生长素等只需花三几个月的时间就生产出来的饲料猪、饲料鸡、饲料鸭、饲料鱼等还会是理想的食物吗？

也许还有人认为，得了糖尿病，就应该少吃甜的食物，包括甜的新鲜生果。据我所知，在现实社会中，确实有些人得了糖尿病，真的不敢吃甜的食物了。无论是新鲜生果还是营养丰富的天然蜂蜜都一一拒绝。当然，如果得了糖尿病，那些用砂糖加工或精制的副食品如糕点、汽水、饼干等应尽可能避免食用。但甜的天然自然性食物如：新鲜生果、天然蜂蜜等不仅不会对糖尿病带来什么不利影响，而且相信还有一定的保健甚至是治疗的作用。糖尿病是人体机能出现问题造成糖尿的，不是吃含糖份的食物太多造成的错觉，因大米、面粉等碳水化合物都含大量糖份，然而无可避免人体代谢需要大量糖份维持生命。

例如，早前有一位六、七十岁的同事患有高血压和糖尿病。虽然他有吃医生开的高血压和糖尿病的药，但有一天也许是因工作劳累，他感到有点头晕和胸闷，问我该吃什么好。我说：下午茶时，不要再吃那些速食面和面包之类的食物了，买两个大大的火龙果试吃下吧。他照做了，之后，他找到我并说，还真有点作用，不再头晕和胸闷了。我说：晚上回去应该多吃新鲜蔬菜和多

吃新鲜生果，特别是新疆的哈蜜瓜、贡梨、香梨和宁厦出产的压砂大西瓜。此外多煲一些五花茶、七星茶、海带等汤水饮用相信对高血压和糖尿病有一定的正面作用。

所以说，如果得了高血压和糖尿病，就应该多吃天然的自然性食物，哪怕是甜的天然自然性食物，例如：新鲜生果、天然蜂蜜等，因为这些食物不仅不会对高血压和糖尿病带来什么不利影响，而且相信还有一定的正面治疗作用。此外，还应该尽可能避免外出食饭，多吃天然的自然性食物，特别是新鲜的天然自然性食物，减少或者避免食用那些经煎、炸、炒、烧烤和加工精制的副食品、饮料等，这不仅对高血压、糖尿病、心脏病等现代性疾病有一定的正面治疗作用，而且对于身体健康的人来说，相信也有预防疾病的保健作用。

正因为如此，我和家人这么多年来，对我们的身体都很感到满意，虽然我们也有过感冒、发烧等，但我们是极少看医生的。因为我们认为西药、抗生素不宜用得太多，否则抗药性、副作用总有一天会降临我们的身上。为此，我们到内地埰圳的药店买一些中成药以备不时之需。内地广州出产的《复方穿心莲片》、《维C银翘片》是我们遇到感冒、发烧的最好良药。只要有少少觉得不舒服，我们就毫不犹豫地服用，通常一次用药很快就见效了。《复方穿心莲片》一次是五至六片；《维C银翘片》是二至三片（维 C 银翘片是半中成药）。每年买《维 C 银翘片》约二瓶，每瓶十二片；《复方穿心莲片》一瓶，一瓶是一百片。《复方穿心莲片》约二元五毫人民币一瓶；《维 C 银翘片》约一元五毫人民币一瓶；不足十元港币，这就是我们一家人每年的医药开支了（上述价钱是数年前的，现在需要约二十多元）。然而，即使是不足十元港币的中成药，我们通常也只用了很少的一部份的。

　　大家知道，我们现代人的食物不但多种多样，而且丰富多彩，各种经加工精制的罐头、速食面、糖果、饼干、薯片、汽水等，煎、炸、炒、烧烤特别是酒楼食肆的食物不但色香味美，而且多种多样，数不胜数。本来追求食物品种的多样化，追求食物的色香美味，是无可厚非的，但为了追求食物品种的多样化，追求食物的色香美味从而忽视了食物营养的品质与人体健康的问题，甚至造成多种多样的现代性疾病。如果不识字的人叫文盲，那么，为了追求食物的色、香、美味和多样化，造成多种多样现代性疾病是不是可以叫食盲呢？

　　在中国一个十二亿人口的国家中，据报导约有二亿多人患有高血压、糖尿、心脏病这样的现代性疾病，在香港患这样疾病的亦趋年轻化，有的甚至年仅几岁，未病发而有潜伏各种现代性疾病的恐怕不计其数。

第一篇／我的健康观

例如，在近视方面，香港约有六至七成人患有近视这样的疾病，有的孩子年仅几岁就要戴近视眼镜了。记得我还在内地山区的农村生活时，没有多少个孩子患近视这样的疾病的，为什么呢？我认为是香港人与内地山区农村人的饮食结构有关，香港人普遍喜欢食罐头、面包、速食面、薯片、香肠、汽水等经加工精制和烧烤的食物；山区农村人多是比较天然的自然性食物。

现在，香港大部份小童都有偏食的习惯，罐头、精制面包、速食面、薯片、香肠、糕点、汽水等经加工精制是他们最喜欢的食物。然而，为了「多快好省」做母亲的往往也乐意满足孩子的要求，虽然相信每位母亲都希望自己的孩子健康成长，但试问这样的食物能为孩子带来什么呢？恐怕是成长有余、健康不足。你的孩子是否健康，做父母的责任是最大的。你的孩子身体不好，首先做父母的要检讨自己，是否为孩子提供了不健康的饮食。

我妻子的微信群里，常看到中国内地某些父母埋怨他们的小孩每年医疗费用太高，有的甚至说超十万人民币。如果真是如此，试想年复一年，孩子吃下多少药了？即使病治好了，但大量的药物对身体没有影响吗？即使做父母的有钱不怕看病贵，但也不能让孩子乱吃，预防胜于治疗，做父母的应该明白有责任引导孩子养成良好健康的饮食习惯，并为孩子提供健康的饮食。

　　大家知道，食物经烧煮或烹调后许多天然养份会遭受破坏和流失，特别是对人体健康最重要的天然养份，因那些养份的生物活性太强因而特别容易挥发和更容易受到热的破坏，新鲜生食物如水果中富含酵素，是促进各种代谢的重要物质，但经烧煮或烹调后就消失了。大量的副食品在加工精制过程中不仅使大部份重要的养份去掉，而且还加入色素、调味素、防腐剂等，炒、煎、炸、烧烤、不适当的烹调和使用「万年油」等还有可能使某些养份产生变异，变异的养份被人体吸收后，在代谢中甚至组合成变异的细胞，造成恶性疾病，所以食物营养品质的好坏是在于烹调后，而不是在于烹调前，烹调前的食物营养品质即使再好，如果经过油炸再油炸，高温再高温的烹调，很可能已使某些养份产生变异，变异的养份被人体吸收后，在代谢中甚至组合成变异的细胞，造成多种多样的现代性疾病，甚至恶性疾病。

　　我们还知道，食物营养是人体生理代谢和维持生命的重要物质，养份之间微细不同点的变化和相互作用从而影响人体健康的问题，是十分复杂的。例如，一颗种子可以生长发芽，孕育生命，但如果种子经烧煮后，就不能生长发育，没有生命了。

又如,用蒸馏水和冷开水养鱼,鱼很快就会死亡,用自然的天然水养鱼就没有问题了。为什么呢?大家都知道,这是因为种子和水通过了剧热的物理作用。所以,物理作用同样可以对食物营养产生质的变化,从而影响人体代谢和健康。此外,食物养分正负离子的变化从而对人体健康的响影也是不能忽视的。

又如,有人平时少吃生果,因此,认为吃些维生素 C 药片补够就行了。但事实恐怕未必如你想像中的一样。有专家指出:天然的与人工合成的它们在化学上可能相似,但在生物学上则与之十分不同。天然的自然性食物营养素对人体只有好处,人工合成的不仅对肝脏功能有影响,而且在营养的生物活性上也无法与之相比。所以,即使人工合成的与天然自然性的食物营养素对人体功能一样,两者也无法相等衡量。天然自然性的食物营养素由于是从食物中直接摄取的,因此有多种多样的养分,而且是均衡的、天然性的。相反,人工合成的是单一性的、化学性的。

另外,还有人认为素食才是最健康的。我认为未必,本人也曾到过一些菜馆品尝过素食,其实大部份素菜都不是新鲜的自然性食物,大部份还是以煎、炸、炒等不太健康的方法烹调食物,甚至有相当一部份是用黄豆经加工制造的豆腐制品。豆腐是健康的食品吗?我认为不是，因为豆腐不是天然的自然性食物，豆腐是用黄豆经加工制造出来的副食品。大家知道，黄豆在经加工制造的过程中，许多天然养分会遭受破坏和流失，特别是对人体健康最重要的天然养分，因为那些养分的生物活性太强因而特别容易挥发和更容易受到热的破坏。然而，不仅如此，在制造过程中还加入了硬化剂，甚至防腐剂。试问，这样的食品会是健康的食物吗？

可见，影响人体代谢和健康的因素不单是食物某种养分含量的多或少，营养的品质、营养天然的生物活性、营养酸碱的化学性、营养正负离子的物理性等也是不容忽视的。因此在看待食物营养方面，不但要重视食物某种养份含量的多或少及对人体的影响，还有食物经加工精制、经烧煮、煎、炸、炒、烧烤等多种多样的烹调后，食物营养的品质、食物营养的天然生物活性、营养酸碱的化学性、营养正负离子的物理性等究竟发生了什么变化？对人体健康产生了什么影响？所有这些，充分说明影响人体代谢和健康的因素是很多的，而且相信十分复杂，甚至超出现代人的想像。总而言之，现代人工化学合成的营养制剂与天然食物营养素在生物学上和在影响人体健康方面相信是十分不同的，而且我们有必要从新认识。

现在，我的两个儿子已经长大了。十多年来，虽然

第一篇／我的健康观

他们都很顺从我们的饮食按排，但有时也会满足他们的要求，如速食面、面包、汽水等，也会到酒楼食肆品尝糕点。不过，尽量避免外出食饭不仅是因为钱，也因为即使再好的厨师，他们也只是为满足食客对食物色香、美、味的要求，他们未必懂得什么样的食物才能让食客健康或者为食客的健康设想。然而，色、香、美味的食物通常对身体也不太好的，现实生活中调味素的滥用，特别是油炸食物和炸完又炸，高温再高温的"万年油"不是被弃用，食店为了节约成本甚至用作炒菜或油菜之用（虽然用水煮的菜会较健康，但事实这些菜很可能使用了"万年油"作油菜之用），长期吃下这样的食物等如自食恶果。

早前，我的妻子与很久没有见面的同学到酒楼食肆聚会，闲谈间谈到化妆品的问题，有同学问我妻子用什么牌子的化妆品，我的妻子说从来没用过化妆品，她们不信。到聚会完毕，大家到卫生间时，我的妻子用水洗了一下脸，她们奇怪了，于是用手触摸我妻子的脸，果然没有粉脂，于是赞她天生丽质，都五十岁了，没化妆脸色还这么好。事实上，我的妻子任职私家看护，每天工作十二小时，加上返工路途来回约需三小时，而且几乎天天返工，如果没有好的身体，相信不能胜任这样的工作。所以只要身体健康，血气和脸色自然会好，否则虽然你还没有病出来，但也因为长期不良的饮食习惯造成身体机能差了，长期不良的饮食习惯不仅吸收了有害物质，致使人体血液素质变差，而且有害物质还随着血液流向脸部，血气和脸色自然会差，甚至这些有害物质还会造成色素沉着，造成脸色难看。然而，脸部色素沉着，脸色难看没有什么灵丹妙药能解决，化妆品成为现代女性掩饰因身体机能差造成的这些污点了。所以只有靠平时坚持健康的饮食习惯，避免食用哪些含有害物质的食物，特别是油炸食物，从自己的一点一滴做起，才能身体健康，焕发天然的自然美。

多食新鲜蔬果，多食比较天然的自然性食物，减少或者尽量避免食用经加工精制的副食品，一些含有丰富天然矿物养份的山草药茶、异地高原的生果（如新疆贡梨、密瓜、宁厦西瓜和外国生果等）是我们比较喜欢的食物，地球上因每一个地方的磁场强弱不同，所以种植和生产出来的食物磁性也有所不同。生活在高原和生活在海拔低地区的人民，应该有选择地相互多食对方异地的自然性食物，这不仅可以增加营养的互相补性，而且营养的正负离子的物理性、化学性、生物活性等相信都为人体健康带来意想不到的好处，俗话说：人离乡贱，物离乡贵，就是这个道理。所以多食异地食物和异地的生果等相信有益健康。

此外，如果食材新鲜，再加上蒸和煮这些健康的烹调方法，买些优质的海带回来，每一至两星期加些海鲜，

第一篇／我的健康观

煲些汤水饮用，对于我们来说这比什么山珍海味都重要得多。越精越好、越贵越上等的观念我不认同。我认为，一个人只要身体健康，不一定要味美可口的食物才觉得好味，相反，如果没有健康的身体，就算山珍海味也无食欲可言。享受美食、享受人生，本来无可厚非，但不能同大吃大喝画上等号，今天没病不代表明天、将来一定健康。人体其实就像一个装满清水的瓶子，如果我们每天都吃进一些不健康的食物，然而，不健康的食物都不会即时对健康构成威胁，不知不觉下身体就像盛满清水的瓶子每天滴入一点墨水一样，终有一天瓶子里的水变黑，到时再去指望医生和药物从瓶子的黑水中取出墨汁就很难了。

所以，健康应该从小、从自己的一点一滴做起，多食新鲜蔬果，多食些天然的自然性食物，做到均衡饮食，不要为了追求美味享受而盲目乱吃，更不应把健康寄托在医生和药物方面，早前，香港某报刊头条一位四十四岁名医睡梦中死亡，说明如果医生不注重自己的饮食和身体段炼，也会影响健康，甚至英年早逝。

我的两个孩子从小一到现在的大学快将要毕业了，虽然也有因发烧请过一、两天的病假，但总的来说，我们还是很满意他们的身体，因为他们既没有像许多孩子那样有近视，也没有像许多孩子那样容易生病。我和家人的身体十多年来极少生病，这与我们平时的健康饮食分不开的。虽然我们掌握了一些健康的饮食方法，但由于每个人的体质对每种食物也会产生不同的效果，这里不宜尽述了。

大家想想，年复一年大量使用化学肥料、农药、生长素等造成的农田污染；大量使用精制饲料、激素、抗生素等饲养禽畜造成抗药性越来越强的病毒。在这个恶性循环的生态环境中，从农作物、饲料、禽畜到加工食品，如果不认真看待生态环境对现代饮食与健康的影响，盲目追求产量，甚至做出利益埋没良心的事，那不仅我们的健康，也有理由相信将为下一代的健康带来隐患。因此，提高人们对食物营养的认识，提高国民素质，教育国民正确看待食物营养对人体健康的重要性，减少使用化学药品、生长素、抗生素等，提倡有机耕作，自然养殖，文明生产，品质第一，营商有道，我们食物的品质就有可能提高，下一代的健康就有可能得到保障。

科学在不断进步，人们对事物的认识在不断加深。近百年，科学技术的发展十分迅速，人们的生活也越来越现代化。追求美好的生活，享受人生是人的天性，但是随着生活越来越现代化，人类本来具有古人类、野生动物那样强的生命力以及各种天然功能也随着生活的现代化而减退了。现代化的生活把人类与大自然的距离越

来越远，睡眠要吃安眠药，生小孩也要剖腹产子，近视、高血压、心脏病、糖尿病等多种多样的现代性疾病，也随着生活的现代化而变得越来越多和渐趋年轻化了。

现在，我们不妨再看看，无论在海洋的深海中，还是在原始的深山大野林里，在那没有污染的自然环境下，既生活着生命力很强的鱼类生物、也生活着抗病力很强的野生动物，丛林里甚至生长着数千年的天然林木。因此我想，如果我们的食物不是以经加工精制为主；如果我们的食物多些煮、滚、炆、煲，少些以煎、炸、炒、烧烤等为主要烹调，注重我们烹调后的食物质量、而不是烹调前；如果我们的食物少些污染、少些添加剂，特别是少用调味素，甚至不用调味素；如果我们的食物多些天然自然性，而且不吸烟，少喝酒；如果我们多些接触大自然，多做吸收负氧离子的抗氧化运动（如行公园、行山、游泳等）；减少在密闭空调的氧化环境下工作、生活，少看有辐射的电脑、电视，多看大自然物的绿色植物；也许住得豪华未必住得健康，豪华、漂亮用化学物料建成的现代建筑，未必是人类最好的居住环境，远离繁扰污染的大都市；也许用大自然物料搭建的草棚、木屋更适合人类居住，只是错误的价值观让我们追求了错误的东西。此外，人的思维是大脑通过生物电运作的，工作了一定的时间，生物电少了，人就会觉得累，所以只有充足的睡眠人的大脑充电的量才会更足，这对健康也是很重要的，多到户外游泳、远足行山、睡觉前洗个凉水浴（最好全身包括头部），也是更能入睡的好方法。知足常乐，良好的情绪，开开心心地生活等等也是健康的源渌。

总之，如果我们在衣、食、住、行等方面多些天然的自然性；少些化学和人为制造；也许现代人的身体会变得更健康了。

。

第二篇／我的宇宙观

「宇宙大爆炸论」认为：宇宙起源于 150-180 亿年以前的一次大爆炸。起初，宇宙中的所有物质压缩成一个极小高温高密度的"奇点"，之后发生了大爆炸。大爆炸发生后，宇宙无限膨胀，温度高达 150 亿度，宇宙中只有中子、电子、光子和中微子等基本粒子。当温度下降到 100 亿度时，才形成化学元素，以后随着温度的降低，形成气体，气体又凝聚成星云，后又凝缩为星体，发展为今天的宇宙。上世纪初，科学家观测到星系光谱的普遍红移现象证明宇宙还在膨胀，1965年发现宇宙微波背景辐射现象，此外，天体品质中存在大量氦，以及天文学家观测到的所有星体年龄都未超出100亿年这事实都支持了「大爆炸理论」。

宇宙真的是由一个极小的奇点爆炸而成的吗？对此，我是绝不会相信的。也许，宇宙真的有过大爆炸，但如果说宇宙是由一个极小的奇点爆炸而成，那么，就真是比天还大的笑话了。为什么呢？因为任何事物有因才有果，不能你说什么就会有什么，假设、推论也必须建基于合理的科学根据上，也许你会有哪么一点理由来支持你的理论，但相信也可以有千万个理由来否定你的所谓理论。

你说：宇宙是由一个极小高温、高密度的奇点爆炸而成，那么，这个奇点那里来的呢？为什么会有这样的一个奇点呢？你的根椐是什么呢？爆炸的中心点在那里呢？即使是核弹爆炸，也不能因为你说句核弹爆炸就会有个核弹爆炸的，就算有个核弹，也要引爆，而且能量也是有个极限的，没可能像你说的那个「奇点」那样能量可以无限放大。你说：宇宙中所有物质压缩到极小，那么，是谁或者是什么原因把数以百亿光年这样大的宇宙压缩到极小呢？

事实上,科学家到现在也无法解释为什么有这个「奇点」,也无法解释这个「奇点」从那里来。因此,我认为,在没有对这个「奇点」得到合理的解释之前,轻言地去假设宇宙是由一个极小的「奇点」爆炸而成,这样的假设,实在无法让人相信。而且,高温、高密度与物质一般的热胀冷缩的物理特性也存在矛盾,因为物体越热,密度就会越小,何来高温高密度呢?正如核弹一样,你有看过核弹在温度极高的情况下不爆炸的吗?你有见过核弹爆炸时,会高温高密度的吗?

大爆炸论以所有物体在不断膨胀远离支援宇宙大爆炸论,事实是否如此呢?如果宇宙所有物体都在膨胀、远离我们,就不应该有星球的存在。因为,他们说星球是分子云集结而成的。既然说物体在膨胀、远离又何来集结呢?如果所有物体都在膨胀、远离我们,就不应该有星系的存在,因为星系也是因为有星球的集结,才有星系的存在;如果所有物体都在膨胀、远离我们,就不应该有星系碰撞,因为既然物体膨胀、远离又何来星系碰撞呢?你不能一方面说物体在不断膨胀远离,另一方面专家们又说某些星系如何如何碰撞,甚至说多少年后银河系也有机会与仙女座星系发生碰撞。所有这些,难道不自相矛盾吗?

至于红移现象,人类观察红移现象也只是几十年的时间，对于宇宙时间来说可以说是微不足道的。如果用那极其有限和短渐的现象去认定无限的宇宙如何如何，就难免出现错觉或容易进入误区了。况且，存在于我们空间的电磁场、电磁力强弱的变化也会影响观察物体的大小从而对红移现象作出错误判断。

例如，最近我看美国国家地理频道，他们用日蚀和平时拍到天空中星球影像的大小变化解释「相对论」时空弯曲的原理。我认为是不对的，因为日蚀时月球的阻挡一定影响当地的电磁场。因此，也必然影响观察和拍摄影像的大小，这是电磁场变化的影响，不是什么时空弯曲。因为电光效应，有的物质会受到一个外加电场影响光的折射率，对光产生间接的影响，从而影响观察和拍摄影像的大小。况且日蚀只是在地球的某个地区，其它没有日蚀的地区影像没有变化又如何解释呢？另外美国国家地理频道还用个钢球放在网中来解释「相对论」时空弯曲的原理，我认为也是不对的，因为这个实验在地球大气层这个环境下，如果在太空中没有所谓"重力"的环境下做这个实验，这个钢球就不会有所谓的"重力"对这个网产扭曲了。

辐射现象只能说宇宙有过爆炸，不能以此说明宇宙是由大爆炸而成的。原子弹不是因为有「相对论」的质能关系式才制造出来的，虽然人为因素可以制造核聚变

第二篇／我的宇宙观

产生大爆炸，但宇宙没有人为因素又如何制造核聚变产生大爆炸呢？

然而，塑造什么红巨星、黑矮星、白矮星、中子星、黑洞、超新星爆炸之说，甚至还有一大堆美丽、动听、精密的天文数字，说什么恒星燃烧完毕后，因为质量比太阳大多少倍的就有重力压缩。之后又因为核聚变产生胀力产生大爆炸，就像玩弄魔术那样，仿佛宇宙中的星系、星球什么平衡点也没有，而是由他们创造和控制似的。他们说星球因重力压缩，星球就压缩了；他们说星球因胀力膨胀，星球就爆炸了，甚至说：数以百亿光年这样大的宇宙也是由一个极小的奇点爆炸而成。

虽然哈勃望远镜拍到了星系与星系撞击产生星球大爆炸的客观事实，但为什么天文学界某些人无视只有星球撞击才会产生核聚变引发大爆炸的客观事实，却去强调毫无事实根据的压缩爆炸之说呢？难道自然界什么「平衡点」也没有吗？恒星既然能够在宇宙中存在，就一定有它们存在的平衡点。正如我们的地球能够在太阳系存在一样，不可能像某些人说的因为没有了平衡点，因而有重力压缩，一时又因平衡点失衡而出现胀力爆炸。如果物体真的可以无缘无故的压缩产生能量爆炸，欧洲粒子对撞实验就不用化数百亿元来做个粒子加速器，以接近光的速度作粒子对撞实验了。

探索健康宇宙和灵魂世界

　　大家知道，任何物体即使最小的粒子始终也有它最小的体积，无论物体怎样压缩，物体之间也只能是零距离，密度始终是有它的极限。因此，即使宇宙中最小的粒子在宇宙中所有的数量，再乘以它们的体积，也是无可能压缩到极小的。

　　再说物体压缩也不是你说句压缩的话物体就能压缩的。例如，就算现代人类用尽所有资源和所有的科学技术也无可能将喜玛拉雅山压缩到极小。地球、太阳、宇宙就更不用说了。欧洲化了数百亿元要做个粒子对撞实验，到现在也没搞出个什么出来。所以说，世界上任事物都是有它的限度和极限的。

　　可见，要将数以百亿光年这样大的宇宙压缩到极小，而且高温、高密度是没有科学根据的。然而，科学界到现在还没有在宇宙中发现有「奇点」这样的自然现象。即使有，它的能量也是有限度和极限的，没可能像「宇宙大爆炸论」说的那样无限膨胀，能量无限放大。

　　那么，我们的宇宙是如何形成的呢？我认为，宇宙只是相对的，没有绝对的宇宙。人体肚皮内生活着亿亿万万的细菌，在那些细菌看来，肚皮内就是它们认知的宇宙了。同样道理，我们人类看到和认识的空间，只是人类的宇宙。

举个例子,例如:太平洋七千米深处的某个热泉附近生活着一些微生物,这些微生物只有在热泉附近生活,离开了就要死亡。因此,在它们看来,它们认识的和视线范围触及的热泉附近的空间就是它们的宇宙了,它们一定不会知道太平洋有多大,不会知道太平洋外还有大西洋、北冰洋、印度洋、南极洲,还有陆地、太阳、太阳系、银河系等。所以说,微生物的宇宙是它们视线范围内和它们认识的空间。同样,假如我们人类是那些微生物,那么,我们可以设身处地想想,我们的宇宙就会小很多了。

所以,几百年前,在没有望远镜和哈勃望远镜时,人类看到和认识的宇宙比现在的小得多。因此,人类现在看到和认识的宇宙一定不是宇宙的全部,也许我们人类现在的宇宙只是一个由数千亿个星系组成的超级大星系,这个超级大星系就是人类的宇宙了。

如果这个假设成立,那么,就有理由相信,我们的超级大星系之外一定还有更多的超级大星系,甚至还有由数千亿个超级大星系组成的大宇宙。然而,大宇宙之外又有由数千亿个大宇宙组成的超级大宇宙…,如此类推,永无止境。

我们知道,宇宙中的星系不仅不是静止的,而且在空间不断运行，甚至因为星系的惯性运动、磁力等有机会同其它星系发生碰撞，产生强大的爆炸。从美国哈勃望远镜拍到的星系照片可以看到，星系之间因运行发生碰撞产生大爆炸是时有发生的。甚至有科学家预测，二十亿年后，我们人类居住的银河系也有机会与仙女座星系发生碰撞，产生大爆炸。

既然星系之间发生碰撞产生爆炸是时有发生的事，那么就有理由相信，如果我们宇宙真的有过大爆炸，很可能是大宇宙内的两个或多个宇宙因惯性运动、磁力等作用力引发猛烈碰撞产生大爆炸的。而且，也只有宇宙与宇宙这样巨大的撞击，才会产生宇宙这样大的大爆炸。当然，爆炸不会是瞬间的事，也许需要漫长的岁月才能完成。

同样道理，不仅宇宙是因为宇宙和宇宙的碰撞产生爆炸形成的。我们的太阳系相信也是因为有两个或两个以上较大的星球发生碰撞产生爆炸形成的。因为在宇宙中，星系与星系发生碰撞，星球与星球发生碰撞产生爆炸也是时有发生的。因此，有理由相信，太阳系的形成很可能是因为有两个或多个星球在空间的惯性运行中，因电磁力或其它力的作用发生碰撞后产生巨大的爆炸而形成的。

第二篇／我的宇宙观

大爆炸后,星球因撞击不断产生核爆,燃烧、形成了太阳。太阳因受到猛烈撞击而产生了惯性的自转运动,不断的核爆、热力使转动的太阳沿着转动的方向产生横向的磁场力和电磁力带动了分子化合物环绕太阳的运行。爆炸之初,太阳系充满星球爆炸的碎片、灰尘和气体,而且十分炽热。因为大的碎片有较大的电磁力,因此,细小的碎片、灰尘和气体向较大的碎片集结形成了行星。

然而,太阳因撞击产生转动的方向决定了行星运行和自转的方向,也就是决定了地球的太阳由东方升起还是由西方升起。漫长的岁月过去了,太阳系的行星外壳冷却了,太阳系也形成了。所以,即使现在虽然地球的外部已经冷却,但内部仍是很热的。

重力或引力存在吗?我认为是不存在的。中国的神舟十号太空船上天,我们看到太空仓里的人和物件浮了起来,重力不存在了。特别是哪个驼螺旋转的实验,很能说明驼螺只有在无重力或引力的环境下,才能做到既要漂浮、运行又可转动这样的实验。换句话说,星球、星体能在太空中漂浮和在轨道中运行而且自转,是因为星球、星体对于太空来说不存在重力或引力。

如果神舟十号太空船是在没有空气的真空环境下,

这样的驼螺实验就更能充分说明地球既要运行又可自转的问题，同时也说明了在有所谓重力的地球环境下，即使是在真空的环境里，这样既要漂浮、运行又可转动的驼螺实验是无法做到的。因此，所谓的引力相信只是星球因天体运动产生的磁场力，我们人类感觉的物体重量，只是因为我们生活在地球大气层内由于地球的自转和环绕太阳公转运动产生的未被人类认识的地磁力或超电磁力，人和物体被地磁力吸引的一种错觉，我们人类在地球某一点上用微观的角度看待所谓重力的方向是不对的，因为在天体用宏观角度看待物体的所谓重力的方向，就不存在方向性了，因为在地球大气层内，所有物体的所谓重力的方向是向着地球核心的，物体的所谓重力的方向只能从某一点下跌到地球的核心，物体不可能从地球的核心上升到地球的另一面甚至冲出大气层奔向太空，所以从天体用宏观角度看待物体的所谓重力的方向，是不存在方向性的，既然没有方向，又何来重力呢？

所以，这种力不是什么重力或引力，而是地磁力或超电磁力，由于在大气层内的气体分子也是地球的一部份，因此，这种力在离开地球大气层一定的范围后就不存在了，正如太空仓里的人和物失去重力浮了起来一样，重力不存在了。

事实上，所有物体包括星体对于太空来说都不存在

任何重量或引力，否则，太空中巨大的星体和它们巨大的重量怎可能在太空中漂浮和极速运动呢？例如，如果太空中的星体真有重量，哪么星体它们重力的方向是什么呢？因为地球大气层内所有物体重力的方向是向着地球的核心的，在地球另一面他们物体重力的方向就是我们的相反，也就是说物体所有重力的方向在抵达地球的核心后，就会相互抵消。所以，所谓的重力根本就不存在方向，只是人们站在地球上用微观的角度看待所谓的重力方向的错觉，但在宏观的太空中用宏观的角度看待所谓的重力方向是不存在的，所以既然重力的方向是不存在的，又何来重力呢？

还有如果太空中真有所谓的"黑洞"，哪么所谓的"黑洞"它们重量的重力方向又是什么呢？如果你认为有个重力，就必然有个方向，哪么，又是什么物体吸引"黑洞"的呢？所谓"黑洞"重力的方向又是什么呢？为什么重量哪么大的"黑洞"能在太空中漂浮和极速运动呢？等等问题都是无法理解和解释的。

所以，所谓的重力或引力，实际上很可能就是未被人类认识的地磁力或超电磁力，只是与我们常见的静电、直流电、交流电的性质有所不同而异。然而，它的性质与我们所说"重力"的性质是相同的。例如：物体密度越大作用力就越大，也就是重量越重。这种力不仅对固体物质能产生力的作用，而且对液体、甚至空气和所有分子化合物同样能产生磁力的作用。然而，这种力不是什么重力或引力，而是由于分子化合物组成的星体作天体运动，例如地球的自转和环绕太阳公转运动产生的未被人类认识的地磁力或超电磁力，正如大的磁铁和小的磁铁在一定的距离内会将小的磁铁吸引过来一样。

虽然我们在地球上感觉平静，但地球是以每秒约30公里的速度环绕太阳公转，然而地球赤道的自转速度每秒也达4百多米。事实上，磁力会因为物体间的距离改变而改变，距离愈近磁力愈强，这也和地球地心吸力性质是一致的，物体离地球越远，地球对它的磁吸力就越弱。

如果星球或星体真有重量，哪么肯定很重、很重，很难设想有什么力能推动它们，然而，即使有个什么力能推动它们，地球和星球也会因为它们的重量作出每秒约30公里极速的天体运动而被撕裂粉身碎骨，因此，反过来说，也正因为所有物体包括星体对于太空来说都不存在任何重量，物体和巨大的星体才可以在太空中做极速的天体运动，这样极速的天体运动甚至宇宙运动或太阳光的光伏作用、静电作用等相信是地球和所有分子化合物引发星体产生地磁力或超电磁力的主要原因，这也和读书时的实验很像，老师用笔在头发上擦了几下，这

支笔很快把桌面上的纸屑吸住了,也许地心吸力就是这个静电的道理一样,地球的吸引力也就是所谓的重力,就是未被人类认识的超电磁力了。

我们可以设想,假如地球或星球有一条几米宽管道的直径穿越地球,如果将一个物体抛落这条管道,物体在下跌到地球或星球的核心后会怎么样呢?显然物体在下跌到地球或星球的核心后相信也不会有所谓的重量了,因为在地球或星球的另一方向面物体不可能往上跌的,因此,在地球或星球的核心,物体的重力不存在方向性,也就是说从宏观太空中的角度看,所谓重力的方向是不存在的。

自然界是由不断运动着的物质所组成,绝对静止的物质是不存在的,不仅星体、星系甚至宇宙也在不断运动着的。物质运动必然会产生磁场,天体和磁场是不可分割的整体,只要天体存在运动,它周围就一定有磁场存在。各类物质结构由于运动方向的不同,运动速度的差异,会产生无数大小不一、强弱不同的磁场,较大的物质结构产生较大的磁场,较小的物质结构它们的运动会产生较小的磁场,区别在于是微观或宏观而异,大对于地球来说,所谓的重力方向是向着地球的核心的,当所谓的重力方向到达地球的核心后,所谓的重力方向就不存在了。所以对于宏观的天体来说,地球所谓重力的方向又是什么呢？显然地球所谓重力方向对于宏观的天体来说是不存在的。

　　物质运动必然会产生磁场和电磁力，因此，我们知道微观物质的有强核力和弱核力，甚至还有更微观的，但现在还无法知道，强核力和弱核力使物质形成分子化合物。然而，比我们常见的电磁力更宏观的，相信是行星如地球环绕太阳的公转和自转产生的磁场力和超电磁力了。

　　我们知道，太阳和行星因天体运动都会产生磁场，也就是说它们都有磁场。太阳自转时，太阳的磁场力就会作圆形的横向圆周运动，由于行星和地球对于太空来说不存在任何的重量，因此太阳转动的磁场力就很容易地带动了行星如地球环绕太阳的公转，此外，太阳光的热斥力和照射也推动了行星的自转。同样道理，地球自转的磁场力也带动了月球和卫星的运行。

　　所以，星球的天体运动会产生出两种以上的力，一种是向着星球核心的超电磁力（地心磁吸力），另一种是向着星球天体运动方向作圆周运动的磁场力。行星极速天体运动产生的超电磁力（地心磁吸力），也就是我们所说的所谓重力或引力了，也许更大的天体运动还会产生更超级的磁场力和更超级的超电磁力，甚至宇宙或天体

是由更超级的磁场力和更超级电磁力主宰和带动的。

所以,我认为所谓的重力,就是分子化合物之间的超电磁力吸力,例如地球大气层内的物体会相吸,然而所谓的引力就是星体运动形成的磁场力,物体在星体磁场内会被环绕星体运行的方向带动,正如电子环绕原子核运动一样,大的星体运动产生大的磁场和超电磁力,小的星体产生小的磁场和超电磁力。磁场和超电磁力是宇宙或天体运动的主宰,而不是所谓的重力或引力。

地球和行星吸收了太阳的电磁力通过自转和公转产生了磁场和电磁力,并产生了南北两极,形成了地磁吸力,也就是地心吸力了。这和读书时的实验很像,老师用笔在头发上擦了几下,这笔很快把桌面上的纸碎吸住了,也许地心吸力就是这个道理,其实,这种力不是什么重力或引力,而是由于天体和地球不断的自转和公转运动产生的未被人类认识的地磁力或超电磁力。所以,如果地球停止了公转和自转的运动,也许地心吸力(地磁力)就没有了。地球存在南北两极,指南针的应用,雷电等现象都说明地球存在强大的磁场和超电磁力。

万物皆有磁力而非必须铁质才可有磁力,大磁场牵引小磁场,这是不变的,只要是物质,都有磁力,只是表现的形态不一样吧了,事实上,没有人能否定地球存在南北两极，地球存在南北两极，证明地球本身就是一个强大的磁体，甚至所有星球都是磁体和磁场，而且相信是因为星球或地球不断的自转和公转运动产生的。

事实上，太阳对地球和行星最少产生了两种以上的力。第一，太阳自转形成的磁场力带动了地球和太阳系行星环绕太阳的运行；第二，太阳光的电磁力对地球和行星产生的电磁力或热斥力推动了地球和行星的自转。例如，早晨太阳从东方升起，太阳的电磁力或热斥力对地球产生了推动作用，然而，地球又受到太阳自转产生磁场力的推动，由于地球和行星不存在重量，因此，在第一、二两种力的推动下作了既要环绕太阳的运行又可自转的惯性运行了。

同样，地球和行星的自转又产生了它们自身的磁场和磁场力，并带动了卫星如月球的运行，正如你在水盆中用力搅动，水也会作惯性的旋转运动，这和电子环绕原子核运动有相似的地方，只是星球之间的天体运动是宏观的，电子环绕原子核运动是微观的而异。

但是，由于地球和行星没有光能量的电磁力推动卫星，也就是没有了第二种力。所以，月球和卫星只会不断地调整地球垂直的角度而不会像地球和行星哪样产生自转。这样的实验即使在地球上通过磁力推动是可以做

到的。例如，如果磁浮列车是个球体，而且这个球体也出现以上两种力，那么这个悬浮列车也可以做到像地球那样既可运行又可自转了。

然而，除了只有磁力才能解释地球和行星既要运行又可自转之外，引力说法是做不到这样既要运行又可自转的实验的。这不仅说明了行星为什么绕太阳运行，而且还说明了行星为什么自转和带动了卫星，这也是引力之说无法解释的。所以，我认为引力是不存在的。

读书时，老师拿着个球比喻地球说，地球如何因惯性和离心力运行，另一方面又因太阳的引力吸引，但现实验要做到既要自转和环绕太阳公转运行又被吸引是做不到的。如果真有引力，地球就要像我们用很多绳子拉着一个篮球一样用力挥动，但事实是篮球永远也不可能像地球哪样，既要环绕太阳公转又可自转。

如果真有引力存在，引力就应该是对地球每一个点产生引力作用的，既被吸引又何来自转呢？这不是自相矛盾吗？当然，如果地球正如我们常看到的地球模型那样，在南、北两极有一条中轴，然而，引力又只能对那条中轴吸引，中轴不转地球转，这是可以做到既被吸引又可自转的。但事实上，地球和行星根本就不存在中轴，然而，引力也不可能只对那条中轴吸引。

也许有人认为，为什么月球和卫星没有沿直线运动，逃逸到外部空间，而是围绕地球运行呢？这不是引力作用吗？哪么，如果真有引力，太阳引力为什么只对地球有引力作用，为什么对月球和卫星没有引力作用呢？如果太阳引力对月球和卫星有引力作用，为什么对月球和卫星能环绕地球运行呢？这有如何解释呢？所以我认为这是与引力无关的，因为如果真有引力，要做到既要自转和环绕太阳公转运行又被吸引是做不到的，万物皆有磁力而非必须铁质才可有磁力，大磁场牵引小磁场，例如星系的大磁场牵引小磁场无数的星球运行，太阳的磁场牵引太阳系的行星环绕太阳运行，行星的磁场牵引卫星运行（如地球牵引月球和人造卫星等），由于它们之间磁场的距离、层次和性质不同，因此它们之间磁场的牵引不会相互影响，正如电子环绕原子核运动因为层次的不同，所以不受地磁力（也就是所谓的重力）的影响一样，但引力之说又如何解释呢？

神舟十号太空飞船哪个陀螺旋转实验很能说明星球、星体只有在无重力的环境下才能做到既要作惯性运行又可自转这样的实验，如果在神舟十号太空飞船仓里是没有空气的真空环境下，这样的陀螺实验就更能充分说明既要运行又可自转的问题。

如果真有引力，地球和行星就肯定会被太阳吸了进

去。例如，如果我们将地球比作太阳，球体物体比作地球，在大气层内有"重力或引力"存在的地方，无论你用多大的气力抛出哪个球体物体，哪个球体物体都会很快跌落地下，没可能做到地球对太阳，卫星对地球在空中运行哪样的效果，为什么呢？因为有所谓的"重力或引力"的存在。

所以说，物体要像地球对太阳，卫星对地球哪样在空中运行，就必须在没有"重力"或"引力"的情况下才可以做到在空中运行。反过来说，地球和行星能环绕太阳运行，是因为没有重力或引力的存在。同样道理，月球和地球上的卫星能环绕地球运行也都是因为没重力或引力的存在，否则如果月球和卫星在大气层内因为有重力或引力的存在就肯定要掉落地球的地面上。

事实上，地磁力对太空船里的人和物体的吸力都是十分微弱的，所以，离地球越远"重力"就越微弱，甚至没有"重力"了。如果在离地球一万公里远的太空里，即使是一砘重的黄金相信在哪里也没有任何"重力"了。我们知道，两块磁铁的距离越远，磁力就会因为距离越远而变得越弱，太空仓里的人和物，离地球远了，地磁吸力下降了，所以"失重"了就是这个道理。

任何物体只要被吸引，都不可能既要漂浮、运行又可产生自转，地球能漂浮、运行又可产生自转说明太阳没有引力吸引地球和行星。所以我认为，"重力或引力"在太空里是不存在的，事实上任何物体在离地球一定的距离后就不会有什么"重力或引力"了。同样，星球也一样，无论星球或星体有多大，对于太空来说，都不会有任何的重量或引力，这也是为什么星球或星体能在太空中漂浮的原因，如果星球或星体真有重量，肯定很重、很重，很难设想有什么力能推动它们，即使有个什么力能推动它们，地球和星球也会因极速的天体运动而粉身碎骨，更不可能还有什么自转了。

此外，地球的涨、退潮也与太阳电磁力对地球强弱的影响有关。当太阳、月球、地球成一直线时，太阳直射到地球的磁力因受到月球阻挡的部份而削弱。因此，地球正面和对称面出现了地磁力吸力的下降，地磁力强的地方向磁力弱的地方挤压出现了涨潮，这也是引力不能解释地球正对面同时出现涨潮的原因。

再说，太阳对地球磁力强弱的变化不仅影响涨潮或退潮，而且相信还会影响气象甚至动物、人类的情绪和健康，因此，地球磁力强弱的不断变化不仅形成了季节甚至影响人和动物的情绪和健康。

地球的不断运转，太阳正面照射的地方也在不断改

变,地磁力的强弱也随着太阳正面照射的地方改变而不断变化,太阳正面照射时,地磁力较强,挤压了海水,所以涨、退潮的波幅也是一天二十四小时的。此外地球对太阳的角度的改变产生了季节,季节的更替使太阳光对地球正面照射的地方也在不断改变,从而也影响了地磁力的强弱。地磁力强弱的不断变化从而对大气层产生了高压和低压,地磁力强时空气被吸,挤压了空气,出现低压;同样道理,地磁吸力转弱时,空气挤压力不够强,出现了高压。如果你常有看卫星气象云图,你就会发现地球南极和北极附近的地方永远都是高压区,赤道附近的地方永远都是低压区,哪是因为地球赤道附近的地方转动最快,太阳光正面照射的地方也是地磁力最强的,地磁力强挤压了空气形成低压;反之,南极和北极附近的地方因地磁力相对较弱,出现了高压,地磁力弱对空气吸力就会下降,加速了空气的流动,使南、北两极形成极地漩涡,北极附近永远都吹西北风,南极附近永远都吹西南风。正如我们将一个气球在中间位置挤压,气球的两端就会胀起来出现了高压。

　　地球运转的不断变化,如日间阳光对地球的照射地磁力会较强,相反夜间会较弱。地球运转的不断,导致地球地磁力的强弱也在不断变化,并形成空气高低压的不断流动和挤压,从而形成了气流、风和雨水甚至台风、龙卷风。当然地形对气流的影响也很重要,海面上没有地形对气流产生阻挡作用,海拔低地磁力也相对高山和高原的地方强，地磁力的强弱也因地形的变化而改变，这不仅对气流产生影响，而且海拔越高，地磁力越弱，地磁力对空气吸力下降，空气越稀溥。所以，在同一纬度的情况下，海洋因地磁力较强而出现低压，高山和高原的地方因地磁力较弱而出现高压，地磁力强弱的不断出现变化相信是形成风和气温变化的主要原因，地磁力越强气温越高，反之，地磁力越弱气温越低，水气向着气温低的高空集结，形成了雨水。

地球磁力强弱的变化不仅影响气象，甚至相信还与地震有关，我不相信地球有什么板块，也不相信地震是地壳板块相撞造成的，因为地球每天有数以万计的地震发生，有浅层的也有深层，有强烈的也有微弱的，地球不可能每天有哪么多的地壳板块相撞，而且深浅不同。我认为地震是因为地球的天体运动如自转和环绕太阳公转运动产生的地磁力，因地磁力或静电的强弱和累积造成的，正如大气层中的雷电和北极光等一样，地震出现地震光说明地震是一种放电现象，与雷电和北极光等分别是不大的，只是雷电是在大气层中，地震在地壳中的分别。

例如：太平洋海水不断运动产生的静电累积造成了太平洋地震带，如果你有细心观察，太平洋地震带基本上是处于深海与陆地高低落差不远的地方，这可能是与

第二篇／我的宇宙观

海水运动挤压陆地产生静电累积造成的。

　　既然雷电人们能够预防，如在大厦顶层按装避雷针以释放雷电能量预防雷电，哪么，有理由相信地震也是能够预防的。例如在人口密集的城市深入地下多按装一些像避雷针这样的放电装置，以释放地下静电能量，达到预防地震发生的效果。物体运动会产生静电，因此，易然物品的货运车也有放电装置，地球的天体运动产生南北两极，如果北半球是正电，哪么南半球就是负电。因此，我有个奇想，如果用条通电的导线插在日本带正电深层的地方上，再连接到纽西兰插在带负电深层的土地上，说不定两国间正负静电能量得到释放中和，从而可能解决两国的地震问题呢？

　　所以，太阳没有引力吸引行星，行星只是在太阳的磁场和磁场力的推动下在轨道上环绕太阳运行；同样，卫星也一样，行星也没有引力吸引卫星，卫星只是在行星运转产生磁场力的磁场内，在磁场力推动下的轨道内运行，在大气层内所有分子化合物因为超电磁力的作用会产生相吸，向着地球的核心吸进去就是我们所说的重力了。人造卫星离开大气层进入太空，人造卫星没有被地球吸引了，人造卫星也就没有"重力"，所以人造卫星只能根据运动力的方向在地球磁场的范围内作惯性运行，这和电子环绕原子核运动的模式是很相似的。如此类推，星系也一样，星系的中央也有一个比太阳更巨大能量的运动和更巨大能量的磁力旋涡形成一个更强大的磁场，星球在这个更强大磁场的磁力推动下运行，然而，星系附近的星球都会被这个更强大的磁场所吸引从而加入这个星系的运行。

因此，我们观察到的星系、太阳系的运动是以中心磁场力的饼状形态横向推动的，而不是球状或其它形状的形态存在，这和我们看到的星系和台风的形态为什么有相似地方的原因。地球在真空环境下既被吸引，又要环绕太阳运行和自转，是不可能的，因此，我认为宇宙中的物质运动，星球运动，星系运动甚至宇宙运动都是磁场和磁力的作用，只是磁场和磁力微观和宏观的分别而异，微观的如强核力和弱核力，宏观的就是超电磁场和超电磁力，所谓的引力实质就是星球的磁场力。

万物皆有磁力而非必须铁质才可有磁力，大磁场牵引小磁场，这是不变的，只要是物质，都有磁力，表现形态不一样和皆有磁力定律无冲突。万物的基本元素都一样，不同的组成结构状态产生不同的形态。只要有一个巨大磁场作用状态下，都会磁化，磁场和磁力是证实存在的事实，而且相信有微观的，也有宏观的，甚至是超宏观的，对于宇宙来说，地球只是个极小的一个点而异，人类在大气层内用表面的重力学说解释天体和宇宙

力学，终有一天会被磁场和磁力所取代，用磁场和磁力解释天体和宇宙力学，相信才是最有科学根据的，也许天体或宇宙运动都是磁场和磁力真正的带动者，反过来说，天体或宇宙运动又会创造更大磁场和磁场力。所以，未来的人类要实现离开地球，傲游太空，最理想的工具很可能是研发反地磁场和地磁力的装置，而不是火箭或别的。

对于黑洞，我也有以下的看法。根据黑洞理论，黑洞是一个时空黑暗区，由品质颇大的星体经重力压缩所剩余的，是一个重力极大的天体。视界内任何物质都会被吸进去，甚至是连光都不例外，所以是一颗漆黑的天体，因而得名为黑洞。

黑洞真的存在吗？我认为是不存在的，为什么呢？因为如果看到黑色的地方就认为有个黑洞，那是不科学的。例如：太阳也有两个地球那么大的黑子，那么，太阳黑子的地方是不是也有个黑洞呢？事实是太阳根本没有什么黑洞，太阳黑子只是较其它温度低造成没有其它地方的光亮，太阳黑子不是没有光，只是没有其它地方那样光亮的一种错觉。同样道理，星系中央那个圆的黑色部份也许不是什么黑洞，很可能只是一个没有星球撞击，没有星球爆炸较为平静的空间，这个空间也不是没有光，只是像太阳黑子那样因为没有星球撞击、没有星

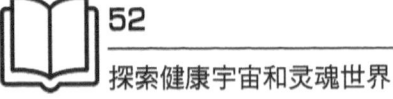

球爆炸那些地方那样光亮的一种错觉。

其实,在我们的地球里,台风也有类似星系运动这样的一种情况,台风越大、风眼也越大;同样,星系越大、黑色的地方也越大。然而,大家都知道,风眼的风力是最小的,也是较为平静的,只有台风中心的边缘(临界的地方)风力才是最大。如果星系运动真的如台风那样,那么,星系的中央就有一个十分强大的旋涡,而这个旋涡很可能是因为星系中央星球密度的增加和加速造成星球撞击、不断的核爆炸力引发极大极速的电磁力等推动的。撞击、爆炸、热力使爆炸边缘的星球气体化,并形成了巨大的磁力旋涡。然而,星系里黑暗的边缘(临界的地方)是星球与星球撞击、爆炸的密集区和最活跃区。所以,显得特别光亮,然而,星系的中心点则与台风的中心点(风眼)一样因相对较为平静因而光亮度不如爆炸的密集区,正如太阳黑子那样看到的是黑色的一种错觉。

如果真有黑洞,如果真的是所有物质都会被吸进去。那么,星系的中心点一定会有很多很多的星球向黑洞撞击,不断的撞击和巨大的爆炸,所谓的黑洞应该是最光亮的,但为什么是最暗的呢?你有看过核弹爆炸的中心点是最暗的吗?

再说，从美国哈勃望远镜曾拍到所谓「黑洞」饼状星系的照片，从中还看到星系的中心有两个对称龙卷风式似的管状旋涡喷出强大的喷流，物体不断地往所谓"黑洞"反方向往外喷出，正如饼状星系的中轴一样。所以，如果真有黑洞，如果真的是所有物质都会被吸进去。那么，就不应该有两个对称龙卷风式似的管状旋涡喷出强大的喷流。然而，龙卷风式的似管状旋涡物体不仅没有被所谓的"黑洞"吸进去，相反向星系的中心点（黑暗的地方）反方向往外喷呢？由此可见，星系中心黑暗与光亮的边缘一定有一个像台风一样极其快速、极其巨大的磁力旋涡，巨大的旋涡产生巨大的磁力并引发出龙卷风式的磁力喷流，而龙卷风正好也有将物体往上拉的特点。

也许，星系也正如我们从气象卫星看到的台风或龙卷风一样，星系的中央有一个巨大的磁力旋涡，雨点等如星球。再说，人类到现在还没有发现有任何能将光线都吸进去的物体，为什么黑洞之说却轻言光也被吸黑洞进去了呢？这不是无中生有吗？如果这样的逻辑也能成立，那么任何事物也可乱说一通了。

综上所述，我认为黑洞是不存在的，宇宙中也没有什么"奇点"，也许奇点只是某些人钻牛角尖钻出来的吧。最后，还是觉得俄罗斯有位物理学家说的很好，他说，宇宙自始至终存在，试图发现一个起点和所谓的终点是没有意义的。我也相信，宇宙既不会有开始，相信也不会有终结。

第三篇／探索看不见的灵魂世界

　　每个人也有自己的小天地，你家里就是你灵魂创造的小天地了。也许宇宙也是这样，宇宙不会无中生有，

而且相信宇宙也有灵魂,是灵魂世界创造宇宙,甚至操控宇宙的。

那么,灵魂是从哪里来的呢?是不是世界上除了物质、能量和光波外,还存在另一个灵魂的世界呢?事实上,物质不仅存在能量和光而且还存在讯息和力等,例如:强核力和弱核力,强核力、弱核力、讯息、能量和光是组成物质的基楚,没有强核力、弱核力、讯息、能量和光,物质就不存在。任何物质都在不断运动和产生形态上的变化,物质的不断运动和形态上变化就是讯息的改变,例如:核弹爆炸不仅有光和热,而且还有力、讯息如声波和产生形态上的变化等,物质转化为能量不仅有光而且必然产生力和形态上的变化以及音波等讯息的传递,事实上,物质形态上的变化就是讯息表达的一种形式。

所以,物质等于能量、强核力和弱核力以及讯息等的总和。质能关系式是否忽略了力和讯息甚至更多的未知要素呢?因为,任何物质都存在讯息,然而,讯息不仅存在于物质,而且相信在宇宙中无处不在,甚至是灵魂讯息世界主宰宇宙的,讯息、物质、力和能量才是宇宙的总体,正如一个人有身体、食物和灵魂思维一样,缺一不可。不仅如此,甚至讯息、物质、力和能量又是互动的,正如一个人要改变某一物质,首先通过思维讯

息、能量和力才能将物质改变一样。

因此，美国人有他们的美国梦，中国的主席也说要实现中国梦，这不是唯心，因为如果我们任何事情都要唯物，又何来发明？何来创造呢？因此要发明，要创造和改变世界就必先有梦想思维，否则世界就毫无动力。所以，只有先有思维，才有动力通过能量去改变物质，才能发明、创造和改变世界。对于世界来说，物质是最低层次的，然而灵魂又分为低层次和高层次、甚至是超高层次，如果每事都唯物，也能停留在低层次的世界。现实生活中，身体不是真正的你，真正的你是灵魂，因为终有一天，灵魂也你会离开身体，进入更高层次的灵魂世界。

也许，在现实生活中，即使是植物，甚至泥土很可能也有人类感觉不到的灵性，只是灵性的高低层次不同而异。虽然灵魂看不到，但人的灵魂思维却是实实在在存在的。因为没有人能否定，你和我都有思维，只是我们的灵魂思维不是以分子化合物的形式存在。然而，我们人类的肉眼只能看到分子化合物组成的世界，分子化合物组成的世界相对思维讯息世界和更高层次的灵魂世界来说只是一个最低层次的世界。虽然灵魂思维世界我们看不到，但灵魂思维是可通过指挥操作躯体发出声音和动作将讯息表达出来，写这篇文章就是思维讯息的表达。

我认为，虽然分子化合物是最低层次的世界，但灵魂思维世界的层次是多种多样和极不相同的。蚂蚁的灵魂思维层次比人类的低，但比人类灵魂思维层次高的相信还有很多很多，层次一个比另一个更高，甚至它们灵魂思维的层次程度可以操控宇宙或更高。人类和动物的灵魂思维是通过生活磨炼向着更高层次的世界发展的。然而，比人类更高层次的世界，由于局限于人类灵魂思维的层次，更高层次的灵魂思维世界，人类看不见，摸不着，正如你肚皮内的细菌也无法认识我们人类认识的世界一样。

如果宇宙没有灵魂思维，也许宇宙就没有平衡点，正如一只没头的苍蝇乱冲乱撞，乱七八糟。如果宇宙没有灵魂思维，星球、星系也许就无法运行，地球、人类也不存在了。早前，看美国探索频道有一个节目，说明可见物质如星球，星系等对于暗物质、暗能量世界来说是很少的一小部份，甚至认为宇宙、星系、星球是由暗物质、暗能量操控的。然而，星系、星球有条不紊的运行，使我们相信，宇宙不仅有暗物质和暗能量，而且还有灵魂思维世界，甚至宇宙是由更高层次或未知能量组成的灵魂思维世界中的高智慧思维体操控的。如果没有灵魂思维世界对宇宙的操控，也许宇宙会像人类没有思

维那样变得毫无意义和毫无生命力。

也许有人认为,思维只在人和动物的生命里才有,事实是否如此呢?随着科学技术的不断进步,思维不仅在人和动物里存在,而且现在人类已能创造出简单的思维讯息体了。事实说明,思维是可造的。正如你使用中的电脑就是可造简单的思维资讯体,程序设计员将人类的思维创造成软体在电脑中表现出来就是可造的思维。虽然电脑软体这个思维的层次很低,但也说明思维体是可造的。

既然思维是可造的,那么,有理由相信,思维不仅在人和动物里存在,而且相信宇宙除了物质和能量外,还存在着我们人类看不到的隐形思维资讯世界,甚至宇宙是由思维主宰的。在我们人类肉眼的视觉频率中,人类看到的只是一个分子化合物组成的世界,如我们的躯体、地球上所有可见的物质、星球、星系等。然而,分子化合物组成的世界如星球、星系等对于灵魂资讯世界来说很可能又是很微少的,也许就象我们看到天上有几朵云朵一样吧。

由于思维资讯世界的思维体是由磁波或未知能量组成,因此它们穿透分子化合物组成的世界如星球、星系等,也许就像我们穿透云和天空中的云雾一样。正如蚊子不能潜入海底，但海鱼却可以在几千米的深海中穿梭，又正如声音未必能穿透固体物质，但电流通过导线却能瞬间穿透传到很远一样。也许思维世界的思维体不需要食物，它们要获取能量就必须通过修炼，正如打电子游戏那样你打得越好，能量就会越多一样。

也许灵魂思维世界的思维体由于是由暗物质、暗能量、磁波或未知能量组成，因此它们不需用眼睛观察事物，而是像电子感测器那样感应世界的，甚至比电子感测器强亿万倍。也许思维世界的思维体由于是由暗物质、暗能量、磁波或未知能量组成，因此思维世界的思维体可能比吴承恩塑造的孙悟空更千变万化，更神通广大。

也许灵魂思维资讯世界的思维体由于是由磁波或未知能量组成，因此地磁吸力对于它们完全没有作用，所以它们可以在太空中，甚至星球、星系中任意穿梭。也许，宇宙中所有的自然现象不是无原无故地自然生有，而是高智慧思维体操控的结果。例如：星系的形成、星球的运行。它们操控星系像台风一样，使中心点附近的星球产生撞击引发核爆以获得能量；操控星球的运行以提升它们思维的能力和提升思维层次和境界。

第三篇／探索看不见的灵魂世界

宇宙也许就像一台电脑，硬体代表物质，电流代表能量，软体代表思维世界。也正如人类一样，人体代表电脑的硬体，食物代表电脑的电流，人脑的思维代表电脑的软体。如果电子游戏的某个角色比作人类，那么操控电子游戏的就是更高层次的高智慧思维体，电脑对于电子游戏那些角色来说就是它们的宇宙了。所以说，人类也是能通过电脑做到高智慧思维体对宇宙操控这样的效果，只是人类做到的是极低层次而已。当然，你电脑里那些电子游戏角色一定不知道是你操控它们，也正如现实中的你，不知道还有高智慧灵魂思维世界在操控着你。

大家知道，如果没有生物、没有现代人类，即使再过几十亿年，地球上也不会有现在的文明世界，即使一个塑胶玩具这么简单的东西也不可能存在。那么，生命是从哪里来的呢？难道是无中生有的？我认为，凡事有因才有果。事实上，生命比飞机要复杂千万倍，然而，飞机比塑胶玩具又要复杂千倍万倍，如果没有现代人类，即使塑胶玩具这么简单的东西也没可能在地球上出现，更何况是比飞机要复杂千万倍的生命呢？

所以，生命不可能是无中生有的，生命相信是还没有被现代人类认识的高智慧灵魂思维体设计创造出来的，正因为这样，人类才有五脏六腑和七情六欲。由于高智慧思维体存在的方式，不是由分子化合物组成的固体。因此，以分子化合物组成的人类由于视频的频率或感应的频率不同，所以无法看到和认识高智慧思维体。这也是我们人类对高智慧思维体看不见、摸不着和感应不到的原因。正如你肚皮内的细菌由于它们存在的方式不同也不能认识你一样。然而，不仅高智慧思维体它们存在的方式不是由分子化合物组成的，而且我们人类自己的思维也是一样，都不是由分子化合物组成的。因此，也是看不见、摸不着的。正因为这种神秘的思维体人们看不见、摸不着，自古以来人们对这些无法解释的神秘现象用「鬼、神」或 UFO 称呼他们。

UFO 和灵体真的存在吗？我认为是存在的，不明飞行物我于 2009 年 1 月 10 日远足行山时见过一次。由于不明飞行物是向我的方向飞来，因此在飞近时，我很清楚看到的不是飞机或认识的飞行物。它是一个像初月形的发光体，就像一把发光的镰刀一样，在空中不断旋转，而且，很快消失在我的视野中。也正是因为这次经历，我对 UFO 和思维世界产生了兴趣，宇宙这么大，地球那么渺小，难道真的只有地球的人类才是宇宙中最有智慧的？这也许是人类太自以为是了吧。也正如你肚皮内的细菌一样，也许它们也在认为，它们才是宇宙中最有智慧的生物呢？然而，即使是类似生物的物种，仅在太阳系内的木星和土星相信也有比人类智慧高得多的物种，因为木星和土星比地球大得多而且大气层也比地球活跃

第三篇／探索看不见的灵魂世界

得多，只是它们存在的方式未必是生物吧了，也许UFO的发光体就是它们存在的方式呢？

　　天外有天，神外有神，神外还有更强大的神。世界事物，一切有因有果。我认为，UFO或思维体是由电磁波或其它未知的能量组成的，没可能是由分子化合物组成的固体飞行物，更不能用分子生物学的角度去看待UFO或思维体，也不相信有什么外星人之类。

　　灵体方面我也有过一次体验，在一次单独行山经过一条阴暗的山林经时，感觉到有种无形的磁场力压着脑神经，而且心里有被压着的感觉。虽然我不知道这是否与心理或与灵体有关，但此事使我相信在人类肉眼看到的世界外存在未被人类认识的另外一个隐形的世界，那就是灵魂智慧思维体「神」的世界。UFO和灵体也许就是具有生命能量由暗物质、暗能量、磁波或未知能量组成的灵魂思维体，人类的灵魂思维体也许就是智慧思维体世界里的一员，我们的灵魂思维体也许在智慧思维体世界里还只是处于极其低级的发展阶段，它们存在于人类肉眼看不见的智慧灵魂思维体世界中。

　　大家知道，一个人死了，就没有生命了，但人的思维体是否也因此消失呢？我认为未必，如果生命死亡，思维体也随着消失，人类就不可能有发展，也不可能发展到现在这么文明。作个比喻，试想如果你每天在电脑中所做的一切不作储存，那么，相信你所做的永远也是空白。同样道理，如果生命死亡，思维体也随着消失，那么思维体永远也只能停留在原来空白的阶段，何来人类发展呢？何来现代聪明的人类呢？所以，生命虽死，物质不灭，灵魂不息。

所以，世界事物所以能不断发展是因为有储存和继承。相反，如果没有储存和继承，世界事物就不可能发展。因此，生命虽然死亡，思维体会转化为灵魂像梦境那样继续在空间搜寻，如果用电脑比作人体的生命，那么软体就是人的思维了，然而，使用电脑的就是「神」。如果用电脑的硬体比喻为人体的身体，那么，思维体就等于电脑的软体了，电脑的硬体坏了不能再用，但软体却可以通过输入在新的电脑硬体中再用，这就是人体和思维体的分别。人体是有形的，思维体是无形的。

所以，我认为，脑之所以有思维是因为生物体存在生物电，生物电在脑体产生电波体，是脑的电磁波制造思维的，人体和脑电波体的不同是因为人体是由分子化合物组成的，是有形、可见的。因此，大部份生命体我们都能用肉眼看到，只有微生物需要显微镜才看到。然而，现在的科学技术不仅可以通过超声波探测海洋，而且可以探测地底有没有石油了。正所谓天外有天，神外

第三篇／探索看不见的灵魂世界

有神，高智慧思维体由于是由极小的粒子或未知的磁波能量组成，因此，有理由相信，它们的能力超强，它们穿透地球、穿透星球就如我们人类穿透云雾一样。也许它们看待星系、星球就像我们看待空气和云雾一样。

同样，高智慧思维体由于是由未知的磁波能量组成，因此，它们的形态也许比吴承恩塑造的孙悟空更神通广大，形态更是千变万化，因此，它们可以突然出现，也可以瞬间消失。然而，高智慧思维体也如人一样有好、坏、善、恶之分，因为这样世界才会变得有竞争，才会变得多样化和在竞争中谋求进步。

或者，思维体世界也像人们玩电子游戏一样，一步一步地进步和提升级别的。所以，人在遇到困难时不可轻易放弃生命，因为这样终止了思维体的修炼就有可能像玩电子游戏一样，终断了游戏就有重新再玩的可能。然而，我们现在看到的 UFO 相信是比人类思维体等级高一些的思维发光体了，当然它们可以转换频道以思维发光体的形式在空中自由飞行，也可以像吴承恩塑造的孙悟空那样神通广大，形态千变万化，甚至瞬间消失。地球上的生命也许是高智慧思维体设计、创造和合成的。低智慧思维体（如人类思维体）寄附于细胞组成的生命脑体中通过生活磨炼像玩电子游戏一样以提升级别。

因此，我认为，人体虽死，但思维体不灭，生命死亡后，思维体会转换频道跳到智慧思维体世界里进行甄别。就像高考那样，修成正果的，分数高的进入更高层次的思维世界继续深造；分数未达目标留在地球这个空间继续搜寻，只要有新生命出生，只要生命脑体频道适合，思维体又会寄附在那个生命里继续修炼以提升级别。也许所有生命都存在生命个体遗传，思维体通过修炼提升级别这样一个不断回圈的过程，当级别提升到某一阶段，就会进入另一个更高层次的思维世界，如此类推永无止境。

正因为这样，人类才会越来越聪明，社会才会越来越进步。因此，一个人聪明与否很可能与思维体有关，与遗传关系不大，因为遗传基因是由分子化合物组成的，人死后，一把火就烟灭了。思维体却是由脑磁波组成，是看不到的，是两个完全不同的概念，遗传只能遗传身体，遗传脑部的发达与否。所以，孔明的儿子未必聪明，毛主席也只是出自农民家庭。

虽然人体死亡后好像什么也没有了，但灵魂思维体经过生活磨炼提升了思维层次级别就是最大的收获，例如，你是一位胆小怕事的人，通过生活磨练，你不再胆小怕事了，下一世的回报就是不再胆小怕事。同样，人类能感觉痛苦与快乐也是因为有思维体的存在，如果没

有思维体,所有生命就算任意宰割也不会有任何感觉,世界也变得没有丝毫动力。

所以,我认为灵魂思维体是寄存于人类或动物脑部独有的东西。因此,在睡梦时,我们不会感觉到自己的心跳、呼吸。这也许是因为我们睡眠时灵魂思维体改变了频道,跳到隐形的思维世界中了,才有我们的梦境,在梦境中,由于你的思维体不是由分子化合物组成的个体,所以地球的地磁力不会对你的灵魂思维体产生地磁力的作用,也就是你的灵魂没有了重量,因此你不用上太空也可以在睡梦时感受到失"重"状态。也许你的身体不是真正的你,真正的你是看不到的,是你的灵魂思维体。梦境也许正如看电视转换频道那样,我们的灵魂思维跳到隐形的灵魂思维世界中了,在哪个世界里,你的速度很快很快,即使你去到很远的地方,只要一旦被惊醒,你的思维体会瞬间返回脑体。所以,大家都觉得梦境是那样的真实。我试过有几次深刻的梦境,在一、两天后,梦境果然在现实生活中发生了。

如果真有隐形的灵魂思维体世界,如果我们的梦境真的是睡眠时,我们的灵魂思维跳到隐形的思维体世界里,如果所有生命都是高智慧思维体设计、创造和合成的,那么,人类的思维就有可能被思维世界里高智慧思维体的调控、引导。因此,很多科学家的发明都是做梦后得到启发成功的。所以，现代科学技术和发明有可能是在高智慧思维体的引导、启发下取得。甚至人类和所有灵魂思维体动物的思维都受到高智慧思维体的监控和引导，我们现在想做什么，或将有什么事发生，都在高智慧思维体的掌控中。事实上，古往今来，世上神奇、巧合的事实在太多，孔明也说：谋事在人，成事在天。这个天指的很可能就是高智慧思维体。

近百年来，电子科技不断进步，现在我们可以通过无线电波看到电视，可以通过磁波能量煮熟食物，可以通过无线电波用手提电话通话，可以通过磁力共震不用手术看到人体内器官有没有病变，可以通过无线电波摇控卫星，美国甚至有新型坦克可以通过磁波科技将十米外的炸弹引爆，这些对我们现在人类来说是高科技了，但对灵魂高智慧世界来说，这很可能是微不足道的。

所以，人类未来的世界将是电磁科技发展的世界，人类通过电磁科技制造高智能歼敌枪械，高智能歼敌战车，高智能歼敌坦克，高智能歼敌飞机，高智能歼敌太空卫星等。可以磁波科技监察和拦截导弹、核导弹，使引爆导弹、核导弹的电子装置失灵；可以通过磁波科技使核武基地和那些新型镭射武器的电子设备无法运作。也许未来的世界，弹药性武器将被电磁科技发展的电磁武器取代，未来的世界人类将研发超电磁武器，甚至可

第三篇／探索看不见的灵魂世界

以用以改变人的脑波频率,从而达到改变人的脑思维,甚至操控摆布人的脑思维,让敌军乖乖就范,任由他们摆布。

或者,未来的人类还可以通过磁波科技将人的思维体提取,再输入高智慧机械人成为真正的高智慧机械人,高智慧机械人通过光电能量可以随时升空,利用太空中的用光电能量运行和维持人的思维永恒,甚至创造出灵活多变像孙悟空那样的高智慧思维体,走向更高层次的非分子化合物资讯思维世界,用电波能量脱离地心吸力、以电波的光速任意地在宇宙中探索。也许古人已给了未来人类的暗示,嫦娥登月的愿望实现了,吴承恩的孙悟空梦想也许以智慧思维体的形式再次展现人类面前,梦想真的可以成真。

天外有天,神外有神,而且我们的神之外还有更高层次,更强大的神。人的知识是有限的,但世界事物却是无限的,我们不能用有限的知识去否定无限的世界事物。也许我们现在认识的宇宙只是未被认识的大宇宙与之比较很少的一粒沙点而异。然而,大宇宙之外又有超大宇宙,永无止境。同样道理,「神」也一样,神外也许有更强大的神,如此类推,永无止境。

我不太喜欢拜神,因为拜神必有所求,试想如果有人天天向你需索金钱或利益你会怎么想？神也一样，拜神就有向神需索利益之嫌了。所以，我认为做人应该顺其自然，只要尽力了，即使在现实中没有回报，相信灵魂思维体也会得到修炼和提升，何必要强神所难呢？也许对于蚂蚁来说，我们人类就是蚂蚁的神，也许蚂蚁也当我们是神和拜我们呢？但有谁能够和它们沟通和理会它们呢？人生就像一场梦，几十年瞬间就过去了，人的能力是有限的，正如蚂蚁不可能做人类要做的事一样，当我们回到神的世界后，相信我们的能力就会有所提升，那时我们认识的那个世界又会不同了。

早前，我做了这样的一个梦，当我回到神的世界时，却因为以前做过一些有违良心的事被扣减分数，就像高考因分数不达被拒于门外那样，很是后悔和很惨呢！所以，做人只要问心无愧，将来回到神的世界就不致于被拒于门外，因此做人应该要努力进取，不求回报，从艰苦的生活中磨炼和提升灵魂思维级别，否则将来被拒于门外就后悔莫及了。

过去，我是个无神论者，现在我却相信「神」的存在，而且是无处不在。因为我们脑海里的思维体本来就是「神」了，只是处于极初级阶段的「神」而异。精神、精神，人的精神本身就是「神」，只是人的眼睛是由分子化合物组成的，由于频率的局限性无法认识更高层次的

灵魂思维世界。也许在灵魂思维世界里,它们很清楚看到我们的思维,甚至我们被它们操控,但它们未必能看到我们的化合物躯体呢?所以,频率的改变对世界的认识也会改变,超声波可看到肚皮内的婴儿,电子显微镜看到的又是一个不同的世界,从许多夜视视频中看到许多许多的发光体在天空中不停闪动,这些不停闪动的光体又是什么呢?也许,UFO 满天都是,只是由于它们的频率与我们的视频不同无法看到和认识它们。

也许有会问,人死了是不是什么也没有呢?我认为未必,因为任何事物也有因果,生命终结就必然有个结果,至于结的什么果,就要看每个人的造化,每个人在这个世界上存在的角色都会不同,这也是更高层次神的世界设定的。人生短短几十年,生命的目的和意义不是在于享受生活,享受人生,而是在于通过艰苦的生活磨炼,在困难和艰苦的生活中激发潜能、磨炼意志以提升自身思维的层次和境界,生命死了也就是等如电脑坏了,但电脑中的软体也就是你的思维却可以从新输入的,只是控制你的软体也就是你的思维的是更高层次的思维世界,通过甄别,你的思维层次和境界如果有所提升,就有可能进入更高层次的灵魂思维世界,灵魂思维层次越高,能力就越强。

正如电脑的软体一样,过去用 window98,现在的电脑已升级很多了，现在人类的灵魂思维比一万年前人类的灵魂思维也提升了很多，说明生命虽死，但人的灵魂思维体却可以继承和发展的。现在人类的脑比古猿人的脑也发达了很多，但脑部发达也要有好的灵魂思维软体配合才能聪明，当然身体健康，生物电充足，脑电波就越旺盛，思维能力就越强，正如你的电脑质量是好的一样。动物的灵魂思维向人类的灵魂思维进化，人类的灵魂思维向更高层次的灵魂世界进化，永无止境。因此有必要指出，很多人努力赚钱，目的希望下一代不再受苦，享受生活，享受人生。然而，做个不劳而获的寄生虫，追求这样的价值观，我认为是错误的，因为不劳而获的寄生虫生活，不仅无法提升他们下一代的灵魂思维层次，而且甚至有可能降低他们下一代的灵魂思维层次，沦为动物的灵魂思维，结果害了他们，所以别让错误的价值观，让我们追求了错误的东西，俗话说"吃得苦中苦，方为人上人"只有这样，你的灵魂层次才会得以提升。

现在，我们人类看到的世界只是一个由分子化合物组成的世界，这个世界相信是最低层次的世界了，事实上，世界上看不到的但又确实存在的东西实在太多了，因此，你不能像你肚皮内的细菌那样，自以为是地认为看不到我们看到的世界，就说我们的世界不存在。无线电波我们看不到，但无线电波确实存在；声音我们能听到，但看不到；电子和资讯世界虽然能用一点，但也是看不到的。那么，更小粒子或未知能量组成的又是什么

样的世界呢?天外有天,神外有神。世界只有相对的,并没有绝对的世界。我还相信世界存在的形式是多种多样的,只是它们存在的方式与我们不同,然而,由于人类的认知有限,我们无法与更高层次的世界认识。我也相信,对于我们人类低层次的灵魂来说,更高层次的神只会保护我们,而不会对我们不利。

世界本来一体,没有国界

世界本来一体,没有国界,在古代,人类为了保护利益或争取利益,国界出现了。几千年来,为了"国界"哪两个字,人类耗费大量的财力、物力,自相残杀,发生过无数大大小小的战争。现在,全球经济已经一体化了,欧洲已有欧盟,将来也许会有美洲盟、大洋洲盟、亚洲盟等,最终全球一体,无分国界。

世界上,如界没有国界,人类就不会因战争而自相残杀,甚至爆发核战,自我毁灭。 世界上,如界没有国界,人类的精力和资源将会放在发展经济提高人民生活水准上。随着社会和人类文明的进步,世界各国和人民的距离越来越近,风水轮流转,世界本来一体,没有国界,全球走向一体,无分国界,多美好啊!

思想越简单，人生越幸福快乐！

全球最幸福的国家是哪个呢？不是最有钱的，也不是最发达的国家，根据英国一个非政府组织「新经济基金」多年前公布最新的《幸福星球报告》，认为拉丁美洲是世界上最幸福的地区，其中哥斯达黎加名列榜首。虽然这个说法未必一定正确，但也说明一个问题，一个人幸福快乐与否不是取决于金钱、权力和名誉。哥斯达黎加是中美洲的，面积相当于台湾，但人口只有二百多万，人口密度不高，哪里没有大型工厂，没有混凝土森林的高楼大厦，空气质素相当不错，也许是因为哥斯达黎加人民哪种易于满足、与世无争的性格，哥斯达黎加成为世界上唯一没有军队的国家。我有亲人在哪里做生意，哪里的人不是有钱，但他们思想简单、易于满足的性格相信是哥斯达黎加人民幸福快乐的源溹。

记得我还在内地山区农村生活时，哪时我们的思想也是十分简单，虽然物质没有现在的丰富，但假期到了，我们就是个放牛娃了，我骑在牛背上，用棍条拍打几下牛的屁股，牛就飞快的往目的地跑，大家一拥而上，很快目的地就到达了。在哪里，我们焗番薯，摸虾、捉鱼、摔跤……，哪有什么烦恼啊！假期到了，和往常一样我会到效野公园远足行山，看看我非常喜欢的山涧小鱼，它们时而聚集；时而跳上水面打个筋斗；时而四散觅食；

时而疾速似飞，太羡慕它们了。

　　从它们哪里我也悟出这么一个道理：一个人幸福快乐与否不是取决于金钱、权力和名誉。不攀比，不杞人忧天，不执着，对自己要求不要太高，知足，总之思想越简单，人生越幸福快乐！

探索健康宇宙和灵魂世界

探索健康、宇宙和灵魂世界（简体中文版）

作　　者/張捷帆（Chit-Fan Cheung）
出版者/美商 EHGBooks 微出版公司
發行者/漢世紀數位文化（股）公司
臺灣學人出版網：http：//www.TaiwanFellowship.org
地　　址/106 臺北市大安區敦化南路 2 段 1 號 4 樓
電　　話/02-2707-9001 轉 616-617
印　　刷/漢世紀古騰堡®數位出版 POD 雲端科技
出版日期/2016 年 4 月
總經銷/Amazon.com
臺灣銷售網/三民網路書店：http：//www.sanmin.com.tw
　　　　　三民書局復北店
　　　　　地址/104 臺北市復興北路 386 號
　　　　　電話/02-2500-6600
　　　　　三民書局重南店
　　　　　地址/100 臺北市重慶南路一段 61 號
　　　　　電話/02-2361-7511
全省金石網路書店：http：//www.kingstone.com.tw
定　　價/新臺幣 200 元（美金 7 元 / 人民幣 40 元）

2016 年版權美國登記，未經授權不許翻印全文或部分及翻譯為其他語言或文字。
2016 © United States， Permission required for reproduction， or translation in whole or part.

www.ingramcontent.com/pod-product-compliance
Lightning Source LLC
LaVergne TN
LVHW091934070526
838200LV00068B/1061